D1535503

LA NOUVELLE
ASTROLOGIE CHINOISE
LE CHIEN

CRÉALIVRES
3/5, RUE DE NESLES - 75006 PARIS

Texte de Shao Hin et de Laurène Petit.
Iconographie : Bibliothèque Nationale, Paris.

Imprimé en Italie

N° d'éditeur : C182
N° ISBN pour la collection : 2-86721-066-3
N° ISBN pour le présent volume : 2-86721-064-7

Dépôt légal : Paris, 2e trimestre 1989

Diffusion exclusive en France:
Comptoir du Livre à Paris.

Diffusion exclusive en Belgique pour la langue française:
Daphné Diffusion à Gent.

前言 Avant de faire la connaissance de Shao Hin, je ne connaissais l'astrologie chinoise qu'au travers de sinologues éminents, certes, mais Français ! En sa compagnie, j'ai découvert la beauté des arts divinatoires de son pays à travers son langage imagé et ses gestes empreints d'une grâce toute occidentale.

Lorsqu'elle m'a proposé d'allier nos connaissances, j'ai éprouvé un vif plaisir, tout en ayant la crainte de la trahir par ma plume somme toute occidentale.

Mais une sorte d'osmose s'est créée entre nous, pont fragile entre l'Orient et l'Occident. J'ai essayé de m'effacer suffisamment pour que les lecteurs goûtent à cette poésie chinoise si subtile, tout en la rendant assez compréhensible à notre mentalité. Shao Hin parle couramment le Français, mais ne se sentait pas apte à l'écriture occidentalisée.

Nous espérons avoir réussi à vous offrir ce petit voyage en Chine. Et puis, si le panthéon des Dieux change, les hommes sont faits d'une même chair et attendent une vision universelle de leur destinée.

Laurène Petit

生值蛇骨為人要
自在安靜心性急
言語傷人一生少
疾輕快心有狠毒
沈伏多相

生值兔骨為人作
車有頭無尾為孝
少成二十年榮華
晚本一生富貴難不
不遠走云云世睦相

生值牛骨多人性
富貴日後覽事
辦得但不得細情
軍典外却人相俊
有大力有撞之相

生值馬骨為一生近
貴衣食忌為人不
停妻州姓辦日居
屋宅有才根無族
病快柔動靜之相

生值龍骨為人近
貴有大威勢居官
閃突發才春要官
秋冬不利只清貧
有与名骨在之相

生值虎骨為人近
居田地宜自立家
為人近貴有酒肉
分營謀遠有威猛
權柄之相

生值猪骨一生有
近貴人敬重不愛
屋宅有才根無族
不問粗細病患多
自在尊重之相

生值雞骨一生近
貴好作九流為吏
有牙爪南名頭造
不吃無力加起
後牀有被無勿之相

生值羊骨一生清
開田地上下鈕人不
知腥性急離祖門
于胃口生的老末
富貴近貴之相

生值鼠骨為人煩
悠啾啾或計快活
物件未服常典刈
見人相爭一身病
悲啾啾之相

生值犬骨一生近
貴有福祿為人賤
既不吃無功之祿
壬戌家子不吃益無
疾忠輕快之相

生值猴骨一生有
才德被人欺騙為
人輕快脆明性急
好吃果子野薄伽
為五攄之相

LES CLEFS DE
L'ASTROLOGIE
CHINOISE

中國星相學的要諦

Pour approcher le fonctionnement des arts divinatoires en Chine, il faut bien comprendre que pour les Orientaux, il n'existe pas de bien ou de mal. Simplement un désordre, que l'homme sème sur terre par ignorance, dans la vaste harmonie de la nature. L'astrologie, ici, permet de comprendre ses contradictions internes et d'y remédier. Car, comme l'a écrit Confucius : « Celui qui ne connaît pas son destin ne sera jamais vraiment un homme. » Les prédictions n'ont pas un caractère de déterminisme, mais offrent une toile de fond sur lequel l'homme tente de s'harmoniser. Un Chinois ne se dira jamais : « Je suis un Singe donc j'ai tels défauts, telles qualités », mais plutôt « De quelles façons puis-je être Singe dans les différentes circonstances de la vie ? ». Cette nuance, très importante, devrait être la clé vous permettant de vous servir de cet ouvrage pour le mieux dans l'esprit chinois.

Les 12 animaux : Un thème chinois est aussi complexe, si ce n'est plus, qu'un thème occidental. Ce livre ne suffirait pas à l'expliquer dans le détail. Mais il vous permettra de faire un portrait très proche de la réalité.

En Occident, il existe 12 signes, liés à chaque mois de l'année.

En chine, il existe 12 signes liés à chaque année d'un cycle de 12 ans : le Rat, le Buffle, le Tigre, le Lièvre, le Dragon, le Serpent, le Cheval, la Chèvre, le Singe, le Coq, le Chien et le Sanglier. Mais attention, l'année chinoise commence le 4 ou 5 février, c'est-à-dire 45 jours avant l'équinoxe du printemps. Vous trouverez en 4e de couverture les dates exactes concernant votre animal de naissance.

Ces annimaux représentent votre moi social, la façon dont vous vous laissez percevoir par les autres.

Le compagnon de voyage : Shao Hin avait été très choquée de s'apercevoir qu'en France, les gens n'hésitaient pas à donner leur heure de naissance ou leur ascendant.

En Chine, s'il est poli de se présenter par son animal annuel — car les autres sauront comment mieux vous aborder

旅伴們 — il est incorrect et dommageable de dévoiler sa date précise de naissance. En effet, celle-ci renferme toutes des données de votre personnalité profonde, et le montrer équivaut à perdre la face. Autrefois, dévoiler la date de naissance d'un Empereur était puni de la peine de mort, car c'était porter atteinte à sa toute puissance !

Le compagnon de voyage, comme son nom l'indique, représente la voix que tout un chacun entend au plus profond de lui et qui le trouble, l'aide, le pousse à agir, et avec lequel le dialogue n'est jamais interrompu. Le signe annuel représentant l'extérieur de l'être et le compagnon de voyage ses pulsions profondes, ils devront chercher entre eux deux l'harmonie parfaite pour faire un individu accompli.

Comme l'ascendant dans l'astrologie occidentale, il se calcule à partir de l'heure de naissance. Et c'est là qu'il faut un peu d'attention.

En effet, il existe une différence entre l'heure solaire et l'heure légale. Alors pour remettre vos pendules à l'heure, reportez-vous au tableau des heures d'été en fin de volume. Vous aurez ainsi votre heure solaire de naissance. A ce résultat, il vous faut ajouter 8 heures pour avoir l'heure de Pékin. Une fois ce calcul fait, reportez-vous au tableau pour connaître votre compagnon de voyage.

Compagnon de voyage	Heure de naissance
Rat	de 23 à 1 h
Buffle	de 1 à 3 h
Tigre	de 3 à 5 h
Lièvre	de 5 à 7 h
Dragon	de 7 à 9 h
Serpent	de 9 à 11 h
Cheval	de 11 à 13 h
Chèvre	de 13 à 15 h
Singe	de 15 à 17 h
Coq	de 17 à 19 h
Chien	de 19 à 21 h
Sanglier	de 21 à 23 h

Les éléments : Pour affiner encore plus ce portrait, il est primordial de savoir qu'en Chine, chaque animal possède ce que l'on appelle un élément stable.

En Occident, il existe 4 éléments : la terre, l'eau, l'air, le feu.

En Chine, il existe 5 éléments : le bois, le métal, la terre, l'eau, le feu.

Comme le Taureau sera élément terre, le Gémeaux élément air, le Singe sera élément stable métal, le Rat élément stable eau.

Ainsi, le Rat, le Buffle et le Sanglier auront l'eau pour élément stable.

Le Tigre, le Lièvre, le Dragon auront le bois pour élément stable.

Le Serpent, le Cheval, la Chèvre auront pour élément stable le feu.

Le Singe, le Coq et le Chien auront

pour élément stable le métal.

La terre n'est l'élément stable d'aucun signe, car elle contient tous les éléments en elle.

Mais pourquoi stable ? : Si en Occident, le Taureau sera toujours un signe de Terre, en Chine, les relations entre les signes et les éléments sont plus complexes et plus personnalisées.

Pour bien comprendre, il nous faut revenir au cycle des planètes, sur deux d'entre elles exactement : Saturne et Jupiter. Saturne met 60 ans pour faire sa double révolution autour du soleil. Tous les 60 ans donc, la grande fête du nouveau cycle commence. Février 1924 était un début de cycle, février 1984 un autre.

Mais Jupiter, de son côté, met 12 ans, un an par signe, pour faire sa révolution solaire, et tous les 12 ans, il donnera en repassant sur le même signe un nouvel élément. Comme il y en a 5, il faut bien 60 ans pour qu'un cycle recommence. Ainsi le Singe sera eau en 1932, bois en 1944, feu en 1956, terre en 1968, et métal en 1980. Puis, tout recommence.

Ainsi donc, une personne née en 1956 sera Singe, élément stable métal mais élément associé feu. Cette personne devra compter avec les apports du métal, du feu et de l'élément stable de son compagnon de voyage.

Qu'apportent les éléments ? : Les éléments, ou Hsing en Chinois, sont des apports essentiellement dynamiques. Ils ont le pouvoir d'adoucir ou de renforcer certains traits de votre caractère. Un Sanglier feu sera plus sensuel et intrépide qu'un Sanglier eau plus intuitif. Ces éléments caractéristiques sont détaillés dans la partie dictionnaire de ce volume à l'entrée Eléments.

Et comme en Chine, tout participe du Tout, ces éléments sont étroitement liés et forment entre eux des accords ou des désaccords qui forgent la nature profonde d'un être.

« La terre engendre le métal qui engendre l'eau qui engendre le bois qui engendre le feu qui engendre la terre. » Le cercle parfait. Mais… « Le métal (la hache) nuit au bois, l'eau éteint le feu qui brûle le bois qui retourne à la terre qui contient en elle tous les autres éléments. » En étudiant votre thème, n'ayez pas peur des contradictions qui apparaîtront. Elles sont là pour compenser l'être dans l'harmonie, et l'excès d'un élément pourrait être plus néfaste, le mieux étant l'ennemi du bien !

Dans la partie dictionnaire, ne manquez surtout pas l'entrée Yin Yang, essentielle pour mieux englober votre personnalité. Et enfin, le dernier chapitre vous dévoilera combien nos deux astrologies se complètent, et cela avec des sources de recherche bien différentes.

成
分
帯
來
什
麼

En effet, si l'astrologie occidentale se fonde sur le mouvement des planètes, l'astrologie chinoise se base sur le calendrier. C'est pourquoi on la nomme souvent « chronomancie ».

Pour bien pénétrer l'esprit divinatoire oriental, il faut avoir en mémoire que le Chinois sait avoir toujours la possibilité d'être maître de son destin ; ce conte populaire tiré du Liaozhai l'illustre parfaitement :

« Un jeune junzi (jeune noble lettré), au cours d'un rêve, vit les deux sages qui compulsaient le livre des Morts. La chaleur devenant étouffante, les deux acolytes du « juge infernal » allèrent se désaltérer et le jeune lettré, piqué par la curiosité se mit à lire la page des prochains appelés. Y trouvant son nom, il prit un pinceau et modifia les caractères pour s'attribuer cent années de vie supplémentaires et repartit. Les sages de retour s'aperçurent du changement. Que pouvaient-ils faire ? Rayer les caractères eût démontré leur négligence. Mais ils pouvaient aussi transiger en altérant d'autres caractères.

C'est ainsi que le jeune homme se trouva doté de cinquante années de vie supplémentaires. »

Que ce livre puisse combler plus que votre curiosité, mais vous ouvrir une brèche dans la Voie.

PERSONNALITE

你的性格之重點

Affaires : Il est d'usage en Chine de se présenter par son animal emblématique. Ceux qui traitent avec un Chien savent d'emblée que le contrat sera clair, sans pièges. Ce natif déteste l'injustice et sera capable de chercher des heures durant les compromis ne lésant personne, mais traquera sans pitié ceux qui voudraient être malhonnêtes... s'il s'en aperçoit ! Car le Chien n'est pas fait pour les affaires. Ce milieu réclame un état d'esprit souvent retord qu'il ne possède pas. Par contre, il sera un second dévoué à qui aura su gagner sa confiance. Son pessimisme naturel l'empêche peut-être de saisir les bonnes occasions, mais ne le pousse pas à agir dans le brouillard. Son intuition le prévient immédiatement des affaires douteuses.

Ambition : Le Chien prêche par excès de prudence. Il veut la perfection en tout, et ne se juge jamais digne d'être en première ligne. Son ambition rejoint son idéal (voir à cette entrée), et il sera plus intéressé par le sort d'une collectivité que par le sien propre. Ce qu'il veut avant tout, c'est faire un travail honnêtement et bien. Pourtant, il possède une mine d'idées qu'il n'exploite pas, et il en est triste. Il suffit que quelqu'un de l'extérieur le pousse pour que d'un seul coup, stimulé, il se décide à agir. Il sera alors d'une grande opiniâtreté et tout peut lui réussir. Mais son apparence réservée fait que peu de personnes se rendent compte à quel point leur aide morale peut être décisive dans la vie du natif.

...« Seul, je tourne en moi-même dans l'œuf du monde.

« J'attends dans le silence la main qui me fera naître. »...

Amitié : C'est un ami fidèle et sûr. Ses amitiés ne sont jamais superficielles, et il lui faut du temps pour parvenir à connaître en profondeur celui envers lequel il se dévouera tout entier. Ses conseils sont avisés, car il ne pense jamais en fonction de lui-même et s'interdit de juger. Dans la détresse, il ira seul dans son coin, n'osant déranger personne. Par contre, il sera d'une totale efficacité pour ceux qui lui demandent de l'aide. Il compa-

tit sincèrement, et fera don de sa présence qui, même si elle n'est pas hardie, est apaisante. Raisonnable, il sait calmer les situations. Mais, si sa fidélité est sans failles, il s'inquiète dès qu'il reste longtemps sans nouvelles des êtres chers. Il a si peur d'être rejeté ou d'avoir commis un impair que c'est en lui qu'il cherchera d'abord les raisons d'un silence prolongé.

...« De lune en lune
« De nuit, de jour,
« L'encens de ma présence
« Te guidera vers moi
« Dans le tunnel de ta peur. »...

Amour : Ce jardinier de l'amour cultive la tendresse et la fidélité. Romantique, il a peur des débordements passionnels qui le poussent à agir alors qu'il voudrait réfléchir. Il désire l'amour courtois, et sa persévérance lui fera poursuivre l'objet de son désir jusqu'à l'obsession. S'il trouve l'être de ses rêves, il sera un compagnon idéal : responsable, fidèle, protecteur, intuitif. Mais il mettra souvent du temps à trouver l'élu(e), car il ne connaît rien à la rouerie amoureuse. Il est facile, trop facile de faire souffrir cet amoureux. Et comme il a la lucidité de connaître ses faiblesses, il aura peur de montrer ses qualités. C'est par petites touches, comme la peinture sobre et harmonieuse d'un paysage, qu'il est possible de percer à jour le secret du cœur

du natif ; sa froideur n'est que peur d'être rejeté. Il se méfie de ses intuitions, laissant le pessimisme l'envahir. Tant qu'il ne sera pas marié, il vivra de cruelles déconvenues qui renforceront son caractère pessimiste. Il a une si haute conception de l'amour qu'il a peur de ne pas être à la hauteur de ses désirs. Et pourtant... quel compagnon délicieux et raffiné. Il faut lui répéter mille fois son amour pour qu'il y croit enfin...

Argent : Le Chien pessimiste aura peur d'être démuni. Mais ses qualités de travailleur font qu'il ne manque jamais vraiment d'argent. Et malgré sa peur d'en être privé, sans doute parce qu'il fait passer les autres avant lui-même, il comble ses proches de cadeaux et gâte les enfants démesurément. Et s'il épargne quelque peu, ce sera pour mieux donner.

Aventure : Il aime trop l'ordre établi pour se lancer dans de folles équipées... à moins qu'on ne fasse appel à son esprit humanitaire. Seulement là, il sera capable d'une certaine témérité. Et encore, il préfère réfléchir et tenter de résoudre les problèmes par la raison. Mais son incapacité à dire « non » peut l'entraîner dans des aventures sans fin dont il sort rarement indemne. C'est un lent. L'aventure réclame de la vitesse et de l'intrépidité. Il préfère ce qui a fait ses preuves en bon conservateur.

Bonheur : Il recherche le bonheur avec désespoir, et pense qu'il n'est pas de ce monde.

Il veut tellement être heureux qu'il devient malheureux à force de trouver des failles au bonheur.

... «Le bonheur, cet état subtil

«Où l'homme est en équilibre entre l'harmonie du monde et le chaos de l'homme,

«Le bonheur est une oreille qui sait entendre, un chaos heureux de s'organiser enfin

«Une halte pacifique dans la Voie,

«Une seconde de conscience

«L'éternité.»...

Charme : Il est discret et ne se découvre pas au premier contact.

Le charme du Chien ressemble à certaines demeures qui se fondent si harmonieusement dans le paysage que l'on a l'impression de découvrir un trésor, lorsque, habitué à la promenade, on l'aperçoit entre les feuillus et la montagne.

A cette image, une fois découvert, ce charme ne sera jamais oublié.

Compagnon de Voyage : Puisque vous êtes Chien en apparence, découvrez dans ces lignes cet autre vous-même avec lequel vous avez à faire le long chemin de la vie, et que vous gardez secrètement enfoui au regard des autres.

鼠 **Chien/Rat :** Le Rat apporte sa volonté de réussir, son sens de l'épargne et une certaine agressivité au Chien. Celui-ci aura bien plus confiance en lui, mais pas suffisamment pour ne pas passer par les affres du doute. Le Chien prolixe se fait culpabiliser par le Rat économe. Le Rat agressif rend le Chien colérique qui, ensuite, n'en finit pas de consoler ceux qu'il a mordus !

牛 **Chien/Buffle :** Deux conservatismes se rencontrent. Le Buffle cependant, offre au Chien des armes concrètes pour se battre sans craindre l'ennemi. Le natif agira sans se plaindre, oubliant son pessimisme dans un travail forcené. C'est un ami solide, peu bavard, mais toujours présent. Il aimera la solitude et les joies simples, tout en philosophant sur l'existence. C'est en amour un compagnon loyal, fidèle, et sans surprises.

虎 **Chien/Tigre :** Le Tigre apporte sa fougue, son désir d'être entendu et son charme éblouissant au Chien. Ce natif saura ce qu'il désire, n'aura pas peur d'être parfois téméraire pour parvenir à ses fins. Ses idéaux sont nobles, il se donne la mesure de les atteindre. Romantique, il s'enflamme pour un regard et désire la passion. Pourtant, il sait bien se tempérer à temps, écoute les conseils avisés, et n'oublie jamais qu'au fond, l'homme est bien peu de choses...

Chien/Lièvre : Que de passéisme ! Le Lièvre seul est déjà angoissé, mais arrive par ses ruses à oublier le lendemain. Associé au Chien, il ne peut plus ruser et se trouve face à sa lucidité acérée. Méfiant, ce natif n'accordera pas sa confiance facilement, et même cela fait, continuera à s'interroger sur le bien fondé de ses prises de position. Mais il déborde de tendresse et n'attend qu'une chose : pouvoir la partager avec quelqu'un qui saura le comprendre et le protéger.

Chien/Dragon : Le Dragon idéaliste embrase les convictions du Chien. Il lui offre son élan, sa grandeur et sa force pour concrétiser ses idéaux, tandis qu'en contrepartie, le Chien sait mettre le temps de choisir et empêche le Dragon de se disperser. Ce natif sera loyal, d'une endurance peu commune, et aura le don de convaincre les autres de l'aider. Il peut parfois pousser si loin son goût des nobles causes, qu'il peut devenir un fanatique dangereux pour qui le contre !

Chien/Serpent : Le Chien trouve dans le Serpent une nouvelle intelligence, sans doute moins loyale que la sienne pure, mais très efficace, surtout si elle doit agir en souplesse, sans être connue. Ce natif pourra être dissimulateur sous ses airs si candides ! Mais ce n'est pas la joie de vivre qui le caractérise ; il fait de tout une montagne, s'obsède sur des détails, et aime se lamenter. On ne s'y fie qu'à moitié, car il sait parfaitement se rattraper à temps...

馬 Chien/Cheval : Ce natif est un Chien qui déteste être enfermé. Il lui faut de l'espace pour évoluer et surtout de nombreux amis autour de lui. Fidèle, il ne peut cependant s'empêcher d'aller toujours voir ailleurs s'il ne peut pas se faire de nouvelles connaissances enrichissantes. La patience ne le caractérise pas, et il peut se tromper de chemin facilement. Mais il a l'art de reconnaître ses torts avec le sourire, se moquant de ses défauts.

羊 Chien/Chèvre : La Chèvre arrive, avec sa fantaisie et son sens artistique, dans la vie du Chien. Ce natif aura fort besoin d'être aidé et entouré, mais sa gentillesse est telle que personne ne songerait à lui vouloir du mal, sauf ceux qui ont compris à quel point on pouvait jouer sur sa fragilité. Et là, tant pis pour eux, car le Chien ne supporte pas la tromperie et mordra sans remords la main faussement flatteuse. Tolérant, artiste, parfois solitaire, c'est un être lunatique et aimant.

猴 Chien/Singe : Le Singe vient mettre de la fantaisie et de l'humour dans la vie lucide du Chien. Le flair de ce natif ne sera jamais pris en défaut, et sous ses airs de Chien tranquille, le Singe analyse, décide et s'amuse beaucoup. Tantôt fantaisiste et charmeur, tantôt angoissé par la solitude et sa vision hyperréaliste du monde, ce natif est un Chien surdoué, souvent incompris, redoutable en affaires, et qui cache ses pleurs par des pirouettes.

 Chien/Coq : Si le Chien rêve d'aider de son mieux son prochain, le Coq en lui, lui donne les moyens d'agir… avec le plus de panache possible !
Cette alliance forme un individu tenace, persévérant, capable d'analyser avec acuité les situations, et qui sait aussi bien commander que tenir ses engagements.
On lui reproche cependant une nette tendance à être persuadé d'être le seul détenteur de la vérité.

 Chien/Chien : Le Chien à l'état pur. Il est pétri d'idéaux, de loyauté, de fidélité, mais aussi d'une méfiance maladive qui lui fait croire que personne ne l'aime vraiment, et que le monde est une vallée de larmes… où il ajoute les siennes. Généreux, il donnera à ceux qui l'entourent toute sa présence, et les comblera de cadeaux.
C'est un amant fidèle mais soupçonneux, un parent attentif qui a plus tendance à protéger ses enfants qu'à les élever vraiment.

Chien/Sanglier : Le Sanglier aime les plaisirs de l'existence et entend bien les faire partager au Chien qui a tendance à se les refuser par peur de mal agir. Leur probité les rapproche et ainsi le Chien peut mieux accepter ses élans sensuels car il se sent protégé par une certaine idée de la morale.

Cette morale si importante qu'il juge bon à tous propos de tenter de l'inculquer aux autres.

Conflit : Le Chien déteste les conflits, source de disharmonie. Peu sûr de lui-même, il craint sans cesse en être responsable. Pourtant, il est vrai que lorsque quelqu'un touche à l'un des siens ou à ses idéaux, sa répartie cinglante éclate aussi soudainement qu'un orage d'été. Il a soif de vérité, ne dissimule rien, et sa franchise peut sembler impertinente et provocante à qui ne le connaît pas. Il est le premier surpris de se voir reprocher certaines vérités dites en toute bonne conscience.

Conseil : Le Chien est d'excellent conseil. Son intuition, pour les autres, le sert, ainsi que sa vue parfois pessimiste des choses. Ainsi, il n'encourage jamais par flatterie, et pointe le danger à ceux qui ne veulent pas le voir, leur permettant de se prémunir. Mais il ne faut pas attendre de lui un conseil stimulant pour l'action.

...« – La rose éphémère ne connaît que la terre, le soleil, la pluie et la caresse du vent.

«Au papillon éphémère, elle ne peut parler que de l'harmonie de l'immobilité, dit le maître.

« – Mais pourquoi le papillon interroge-t-il la fleur ? demanda l'élève.

« – Parce qu'ainsi, de l'immobilité au mouvement continu, passe de fleur en fleur la semence d'un prochain jardin, «Celui de la connaissance et des lendemains, répondit le maître.»...

Conte : En Chine, le Chien est un symbole très important, puisqu'il pourrait être à l'origine des Chinois eux-mêmes. En effet, P'an-Kou a été représenté sous les traits d'un Chien. En cela, il accompagne les immortels dans leur grandeur et peut, comme le Chien de Han-Tseu, devenir rouge et avoir des ailes qui lui offrent l'immortalité. On oppose à cette image celle, très répandue en Chine, du Chien de paille, image de ce qui doit être détruit après avoir été utile. Lao-Tseu pensait que pour le sage, ce rite devait montrer à quel point il ne faut s'attacher à rien en ce monde. Tchouang-Tseu écrivit à ce sujet dans *Le destin du Ciel* : «Les Chiens de paille étaient avant l'offrande gardés dans des coffres enveloppés de belle toile. Après l'offrande au mort, ils étaient brûlés, car si on les avait fait resservir une autre fois, chaque

membre de la famille du défunt aurait été tourmenté de cauchemars.»

A l'inverse de l'immortel, le Chien représenté aveugle, sourd, et très poilu incarne le chaos. Sa prescience de la mort est illustrée dans de nombreux contes comme celui-ci : «convoqué par l'Empereur, un ministre se vit empêché de sortir de chez lui par son chien. Furieux, il l'attacha et à peine sorti, son char se renversa et il fut grièvement blessé.»

Sa fidélité et sa loyauté sont également vantées, même si aujourd'hui il fait plus la joie des cuisiniers que des hommes...

Courage : ... «Seul est courageux celui qui connaît l'ombre de la peur planer sur sa route, car il doit voir dans les ténèbres lorsque son âme réclame la clarté du jour.»...

Le Chien n'est pas un exemple de courage. Il doute trop de lui-même. Les actions d'éclats ne sont pas de son quotidien. Il peut même être assez timoré. Mais si une cause lui tient à cœur ou si quelqu'un touche à un être proche, il cessera de gémir et d'aboyer pour mordre cruellement.

Cuisine : Comme il a été dit précédemment, il fait un mets de choix pour les cuisiniers chinois. Peut-être est-ce pour cela qu'il n'en est pas vraiment gourmet et mange avec avidité ce qu'on lui donne. Une seule condition, il faudra

qu'il vérifie dix fois que les mets ne sont pas avariés tant est grande sa méfiance en tout !

Défauts : Que le Chien accepte sans se plaindre les vérités ci-après, car il est : anxieux, cynique, pessimiste, moralisateur, entêté et souvent timoré.

Eléments-Hsing : Pour affiner votre portrait il convient de compter avec l'agent stable de votre compagnon de voyage que vous trouverez dans l'introduction du présent volume.

Le bois : L'organe, en médecine chinoise, qui lui est associé est le foie, sa saison le printemps, son point cardinal l'est, sa planète Jupiter, son chiffre le 8, sa couleur le vert. C'est le règne de la force créatrice.

Chien/bois (1874-1934-1994) : Ce Chien a besoin du regard des autres pour avancer et se sentir à l'aise. Artiste, il ne sait pas toujours concilier sa lucidité et son imagination, et pourra rester dans l'expectative jusqu'à ce que quelqu'un lui donne confiance en lui. Il pourra alors devenir travailleur, acharné, mais préfèrera le faire au sein d'un groupe amical dont il apprécie les qualités intrinsèques. Fidèle en amour comme en amitié, il sera moins réservé que les autres.

Le feu : L'organe, en médecine chinoise, qui lui est associé est le cœur, sa saison l'été, son point cardinal le sud, sa planète Mars, son chiffre le 7, sa couleur le rouge. C'est le règne du succès et de la passion.

Chien/feu (1886-1946-2006) : Un Chien charmeur et chaleureux. Ce natif se laisse entraîner par ses passions, et ne restera pas un sage contemplatif. Mais il agit par à-coups, mettant parfois en avant son désir de paraître et de réussir, et laissant pointer aussi son inquiétude viscérale. Mais sa volonté finit toujours par l'emporter, quitte à mordre ceux qui lui barrent le chemin de ce qu'il croit juste. Son enthousiasme est communicatif et il sait convaincre.

La terre : Les organes, en médecine chinoise, qui lui sont associés sont la rate et le pancréas, sa saison l'été au moment de la canicule, son point cardinal tous ou le centre, car la terre contient en elle tous les autres éléments, sa planète Saturne, son chiffre le 5, sa couleur le jaune. C'est le règne de l'équilibre et du mûrissement des idées.

Chien/terre (1898-1958-2018) : Un Chien perspicace. L'élément terre donne au Chien le sens de l'harmonie dont il a tant besoin. Capable de voir les réalités sans trop de peur, il est mieux armé pour servir ses désirs. Son courage lui provient d'une grande perspicacité et d'une fine psychologie. Parfois intolérant, il reste cependant magnanime et fidèle. Ses conseils sont précieux, il commence par les appliquer lui-même, et restera actif et optimiste face aux revers.

 Le métal : Les organes, en médecine chinoise, qui lui sont associés sont les poumons, sa saison l'automne, son point cardinal l'ouest, sa planète Vénus (ici, l'astre de la rigueur et de l'autorité), son chiffre le 9, sa couleur le blanc. C'est le règne de la fermeté et de la justice.

Chien/métal (1910-1970-2030) : Un Chien critique et volontaire. Ce natif ne plaisante pas avec la vie. Son temps est compté, il se fixe des objectifs et sait les atteindre. La chance lui sourit et il sera souvent riche. Féroce, il ne supporte pas d'être contredit et défend son territoire avec âpreté. Il est pourtant aussi capable d'une grande générosité, mais ne s'apitoiera pas plus qu'il ne le faut. Pour une fois, il aura le courage de ses opinions et n'en démordra pas.

L'eau : Les organes, en médecine chinoise, qui lui sont associés sont les reins, sa saison l'hiver, son point cardinal le nord, sa planète Mercure, son chiffre le 6, sa couleur le noir. C'est le règne du calme caractérisé par l'absence de passion (l'eau, en Chine, étant liée à l'hiver, symbolise plus la glace que la vie comme en Occident).

Chien/eau (1922-1982-2042) : Un Chien libéral et inquiet. Sa grande intuition lui fait comprendre le monde souterrain de chacun, et il devient tolérant face aux difficultés. Mais il sera sans cesse déchiré entre sa lucidité intuitive et son besoin affectif. Il sait que les individus sont trop complexes pour assurer la totale fidélité dont il a besoin et souffre de son incapacité à faire confiance. Il sera faible, mais aussi un excellent créateur qui domine ses passions.

Enfance : C'est un enfant qui se sent concerné par le malheur des autres. Il fera en sorte d'aider les plus défavorisés, découvrant l'injustice comme la plus grande plaie de ce monde. En même temps, il découvre que seul, il n'est pas apte à refaire le monde. Il juge en silence et devient pessimiste. Tendre, parfois naïf, il cherche auprès de ses parents un grand réconfort moral qui puisse lui donner de l'espoir. Sérieux, constant, travailleur, il manque de confiance en lui. Ses parents devront être attentifs, le valoriser, et ne jamais lui mentir. Ils devront aussi l'aider à quitter le nid familial. Il a tendance à désirer y demeurer par peur d'affronter le monde, et culpabilise de laisser une famille, des amis

derrière lui. Si ses parents ne sont pas attentifs, le jeune Chien oubliera sa propre vie au profit de ses parents. Et pourtant, il désirera souvent s'en écarter quelque peu, pour essayer de voler seul...

Ennemis : Il a pour ennemis tous ceux qui vivent de l'injustice et qui participent au chaos du monde. Sa morale pure et droite n'admet aucune tricherie. Sa parole peut devenir d'un cynisme redoutable, et ses mots blesseront plus sûrement que des lances. Mais sa méfiance est telle qu'il finit par voir des ennemis derrière chaque arbre. Seul l'amour peut avoir le pouvoir de l'aider à surmonter ses haines et ses craintes.

Famille : Dans la mer de souffrances qu'est le monde, le Chien voit dans la famille l'île paradisiaque où le bonheur peut peut-être prendre racine et donner des fleurs. C'est un parent et un compagnon fidèle, aimant, capable de privations pour offrir à ceux qu'il aime le meilleur. Attentif à chacun, il saura intuitivement ce qui convient le mieux au meilleur moment. Séparé d'eux, il ne vit plus, dans les affres de l'inquiétude. Il tient aux rites, veut inculquer son sens de l'honneur à ses enfants par l'exemple ; c'est un être fait pour la vie familiale où il donnera le meilleur de lui-même. Et comme il s'attend toujours au pire, les échecs ne l'effondrent pas et

les heureuses nouvelles le portent aux nues. Sa tendresse et son sens des responsabilités ici, semblent sans limites.

Fantaisie : Elle sera parfois verbale. Mais en général, il est drôle sans le vouloir et sait heureusement rire de lui-même. Son conservatisme, son sens de l'honneur laissent peu de place à une fantaisie qu'il trouve déplacée chez les autres. La fantaisie peut engendrer le désordre, et il aime trop l'ordre pour y céder.

Fidélité : Un maître vocable chez le natif. il a une telle soif d'absolu, qu'il ne peut songer un instant de manquer à sa parole ou à duper un être, quelle que soit la tentation.

...«Une fois imaginée la perfection éternelle,

«L'homme, tête baissée, devient aveugle

«Pour ne pas être souillé par des vendeurs de Paradis.»...

Force : Le Chien possède une grande force de conviction, et sait percevoir l'invisible. Cette force devient sa faiblesse, car il a peur de faillir au parfait. Mais il peut apprendre à devenir redoutable si on l'accule à un choix altruiste. Plus qu'un guerrier, le Chien est un penseur.

Gourmandise : Le Chien n'est pas gourmand. Il se méfie trop des excès. Sous le bon goût, il cherchera le poison.

Honneur : Le Chien peut accepter de tout perdre, il s'y prépare depuis toujours. Mais pas son honneur, seul garant de son identité lorsqu'il se présentera devant le Juge Suprême. C'est pourquoi la parole d'un Chien vaut plus que toutes les richesses des Empereurs. L'honneur est la seule manifestation divine que le Chien essaie de faire vivre en lui comme chez les autres. Le perdre serait pire que la mort.

Hospitalité : Le Chien déploie des trésors d'ingéniosité pour bien recevoir ceux qui frappent à sa porte. Les pèlerins comme les amis ne manqueront de rien car son intuition décèlera ce qui leur manque à point nommé. Il n'offrira pas du thé à un affamé ou du riz à un nanti. Pourtant, il aura du mal à ouvrir sa porte, craignant les voleurs et les criminels. Il préfèrera aller vers le danger que le laisser frapper à sa porte, car il aime être maître de son destin. Mais sa méfiance s'envole face à la détresse.

Idéal : Le Chien est idéaliste, mais son pessimisme l'empêche souvent de concrétiser ses rêves. A trop chercher la perfection, il supporte mal le monde. Il peut partir défendre les opprimés, mais sentira toujours le manque de moyens dont il dispose. Il défend avec force et vigueur ce qu'il croit juste, et marche dans la Voie les pieds ensanglantés.

Imagination : Son imaginaire est peuplé de monstres mystérieux et effrayants, de grottes miraculeuses, de demi-Dieux. Il ne pense qu'à l'au-delà, et ressent son imaginaire comme une intuition exacerbée. … «L'imagination n'est qu'une intuition d'un réel

«Plus réel que l'homme lui-même.»…

Intelligence : Intuition, psychologie et soif de savoir en font un être à l'intelligence profonde. Sa culture sera vaste, mais plus apprise que vécue. Brillant, ce natif pourrait être appelé à de hautes tâches si son intelligence n'était si souvent voilée de pudeur et de timidité. Philosophe, il aime disserter sur la vie de ce monde, aura la répartie juste et mordante, mais pourra craindre de passer aux actes s'il n'y est pas fortement convié.

Jalousie : … «Celui qui manque de confiance

«Voit dans les autres

«Le reflet de sa peur de vivre,

«Une béance de l'être

«Qui hésite entre vie et mort.»…

Le Chien désire de toutes ses forces pouvoir placer sa confiance entre les doigts d'un être sans craindre d'être écrasé. Il lui faudra beaucoup de temps, incapable de suivre simplement son intuition. Et durant cet état il sera la proie d'une jalousie dévorante et souvent dévastatrice, car à avoir peur d'aimer, il finit par tuer l'amour.

Légende : Le Seigneur Bouddha se préparant à quitter la terre invita tous les animaux à lui faire leurs adieux. Seuls 12 animaux répondirent à cet appel. En remerciement, Bouddha décida d'attribuer à chaque année du cycle lunaire le nom de ces animaux reconnaissants. Le Chien ayant été le onzième à se présenter, il marque donc la onzième année lunaire.

Mariage : Le Chien croit en la valeur des rites et des institutions. Il sera lent à trouver le partenaire idéal, mais sera rassuré par l'édifice cérémonieux du mariage. C'est la preuve de sa confiance, la marque de sa loyauté et de sa fidélité. Un Chien est capable de mourir juste après le décès de son compagnon, désireux d'assumer ce lien au-delà de la vie. Il est plus que probable qu'il ne choisira pas un autre compagnon durant son veuvage. Attentif, sensuel, tendre, respectueux, c'est un compagnon idéal qui sait oublier ses peurs pour la joie de celui qu'il accepte comme partenaire.

Orgueil : Le Chien est si orgueilleux qu'il en semble timide. Il ne connaît pas lui-même son orgueil, finalement persuadé qu'il est infiniment humble. En fait, il voudrait tant la perfection qu'il préfère souvent ne pas agir par peur des demi-mesures. Mais s'il aime le travail bien fait, il ne s'en enorgueillit jamais.

Paresse : Le Chien n'est pas paresseux. Il aime trop l'équilibre pour cela. Actif, il travaille avec acharnement, et sait se reposer pour méditer ou partager les joies familiales.

...«Que ton labeur soit à l'image des saisons,

«Vif au printemps, mûr à l'été, prêt à engranger à l'automne,

«Et calme l'hiver pour que la terre se repose

«Et soit prête de nouveau.»...

Parfum : Le parfum possède une forte symbolique puisqu'il est censé représenter la force de l'âme vers les cieux. Le sage Chien aura un parfum subtil mais durable composé de myrrhe, d'apoponax ou d'iris.

Passion : Le Chien se méfie des passions, trop rapides et exigeantes à son goût. Il leur opposera, la plupart du temps, une froideur préventive. Mais si le natif est vraiment touché par la passion, il risque fort de ne plus s'en détacher et en souffrira toute sa vie si elle ne tourne pas en sa faveur.

Profession : Il lui faut un travail stable, un poste de confiance. Il sait à merveille gérer l'argent des autres, déceler les failles d'un contrat, trouver les détails manquants. Orateur hors pair, les professions en rapport avec la loi conviennent par-

faitement aussi à son sens de l'équité. Si l'on sait stimuler ses dons, toutes les professions lui sont permises, car sa créativité et son intelligence alliées à son charme discret en font un être de qualité n'importe où. Mais il sera plus à son aise loin des tumultes et des bouleversements. Face à un Chien, il ne faut jamais oublier qu'un seul mot d'encouragement peut décider de sa carrière.

Prudence : Si seulement le Chien pouvait parfois oublier ce vocable, il irait très loin. Mais son extrême prudence sert les autres qui se fient à ses jugements et à ses intuitions. Mais lui, à force de méfiance, finit par s'oublier...

Qualités : Que le Chien trouve en ces lignes la force qui lui manque souvent pour s'accomplir car il est : noble, fidèle, loyal, altruiste, philosophe, intelligent, respectable, dévoué, lucide, désintéressé et discret.

Raffinement : Le Chien fera preuve d'un raffinement très conservateur et de bon goût. Il aime la noblesse de la discrétion, et déteste aussi bien l'étalage des richesses que le laisser aller.

Rancune : ...« – Qu'est-ce que la rancune, demanda l'élève ?
« – Elle ressemble à l'orage qui ne veut éclater,

«Au soleil qui brûle les récoltes.

«La rancune envahit le temps de l'être

«Et empêche le passé d'ensemencer l'avenir...»

Le Chien possède une très grande mémoire et n'oublie aucun détail. Sa grande mansuétude le met souvent à l'abri de la rancune, sauf si l'acte a frappé trop injustement autrui. Il mordra alors des lunes plus tard, sans prévenir.

Réputation : Les natifs du Chien sont bien considérés en Chine. On sait que l'on peut se fier à eux en toutes circonstances. D'autre part, le Chien très inquiet d'être dans le bon chemin sera à l'affût des paroles des autres ; même si elles le blessent, il les prendra en considération, désireux de s'améliorer sans cesse.

Responsabilité : Le Chien est un être de confiance. Il peut prendre de lourdes responsabilités, son intuition lui permettant à la fois de ne supporter que celles qu'il sait pouvoir assumer, et aussi de détecter toutes les fatalités qui seraient à même d'entraver son poste.

Ruse : ... «L'homme rusé se montrera sur le chemin de la Voie,

«L'homme qui suit la Voie ne connaît pas la ruse,

«Le sage déjoue les ruses de la Voie.»...

Le Chien appartient aux deux dernières catégories. Philosophe pessimiste, il

se méfiera de tout et cherchera le mal dans le bien. Mais son idéalisme le pousse plus souvent à ignorer la ruse, car s'il la craint, il ne sait pas s'en servir, trop droit pour s'y abaisser.

Sacrifice : Comme les «Chiens de Paille» (voir entrée conte), le natif est prêt à se sacrifier pour mettre fin à une injustice, ou pour protéger les siens. Il préfère porter la douleur sur ses épaules plutôt que de supporter le supplice de voir ceux qu'il aime souffrir.

Santé : Sa nature inquiète et nerveuse rend le Chien susceptible d'avoir bien des maladies, surtout celle de l'épuisement de l'âme.

Secrets : Le Chien a l'impression de détenir des vérités, et de connaître le monde infernal. Ainsi, il devient philosophe, donnant de petites parts de savoir à ceux qui peuvent l'écouter.

Séduction : Le Chien romantique déteste les cours pressantes. Il aime prendre son temps. Face à l'objet de ses désirs, il sera très lent, hésitant, craignant de le troubler et de se troubler lui-même par des assiduités qu'il juge incorrectes et déplacées. Lent à accorder sa confiance, il veut donner le même temps à son partenaire... qui souvent s'enfuira, inconscient d'être aimé et désiré. Il aimera

combler par des attentions délicates, charmera par sa tendresse et sa psychologie.

Une fois sûr de lui, il devient un être avec lequel les fiançailles durent toute une vie...

Sexualité : Dans le Tao, il est clairement énoncé que l'homme doit pratiquer le coït toute sa vie en économisant son sperme. En faisant jouir la femme et en harmonisant leurs souffles, le couple augmentera sa puissance et sa longévité. Excessivement sensuel et attentif à sa partenaire, l'homme du Chien est l'amant idéal. Il suit le Tao sans peine, car il le ressent du fond de son être. Il a besoin, une fois la timidité oubliée, de ne faire plus qu'un corps avec celle qu'il aime.

La femme du Chien est plus lente à émouvoir. Il lui faudra longtemps pour accepter sa sensualité et lui trouver sa juste place. Les préceptes de la morale la touchent beaucoup, et elle peut craindre le Tao.

Mais une fois ses sens éveillés, elle devient une partenaire très appréciée, car elle sait d'instinct aider l'homme sans s'oublier elle-même.

Timidité : (Voir orgueil). Le Chien est très timide et il est dommage que cette «timidité» l'empêche d'aller au bout de lui-même.

Tradition : Le Chien aime les traditions. Elles sont pour lui le garant du passé pour fomenter l'avenir. Il ne s'y raccroche pas par peur, mais par goût du rituel qui rassemble les hommes autour d'une idée maîtresse trêve dans la guerre des apparences.

Union entre les signes : Afin de mieux connaître les affinités entre les signes, voici un petit guide des relations entre les animaux. Il et souhaitable, lorsque c'est possible, de jouer sur toutes les combinaisons en y ajoutant les compagnons de voyage. Car si les signes apparents sont en disharmonie, il se pourrait que les compagnons de voyage s'entendent pour le mieux.

Chien/Rat : Ces deux là s'entendent à merveille. Le Rat dynamise le Chien et le Chien tempère le Rat. Celui-ci est subjugué par l'intelligence profonde du Chien mais craint de se laisser entraîner par ses visions pessimistes. Mais une profonde confiance l'un envers l'autre les réunit, et le Rat souvent incompris en amour sent que le Chien est capable d'attendre qu'il ouvre son cœur.

Chien/Buffle : Leur loyauté et leur sens du devoir les rapprochent. Ils se plairont infiniment, mais ne pourront pas faire route ensemble longtemps. Car si le Chien se sent protégé par la puis-

sance du Buffle, il se sentira vite malheureux de ne pas sentir son compagnon plus caressant. Le Chien finira par dépérir par manque de communication sous l'œil décidé du Buffle.

Chien/Tigre : C'est l'entente parfaite. Leur couple sera un modèle que bien d'autres envieront. Pour une fois, le Tigre n'ira pas chercher ailleurs tant le Chien sait lui rendre la vie agréable, tout en respectant sa liberté. En fait, ce sont surtout leurs idéaux qui les rapprochent, même s'ils les abordent de façon différente. Là, ils s'aideront de leur mieux, le Tigre protégeant le Chien qu'il aime écouter, le Chien tempérant l'ardeur du Tigre sans l'entraver.

Chien/Lièvre : Ils semblent faits pour se rencontrer tant ils ont de points communs. Mais en Chine, on se méfie des excès en toutes choses. Cette entente est harmonieuse, confortable, honnête, et sécurisante. Ils baignent dans la confiance et la tendresse. Mais le Lièvre a du mal à comprendre pourquoi le Chien se préoccupe tant des autres lorsqu'il a tout pour être heureux. C'est que trop de bonheur fait peur au Chien...

Chien/Dragon : Qu'il est étonnant que leurs destins se croisent ! Le Chien ne peut être rassuré par ce Dragon qui le délaisse, se moque de ses préoccupations philosophiques et de son monde restreint. Il pense pour sa part que le Dragon est irresponsable, inhumain et incapable de pensées profondes. Le Dragon s'énerve et s'ennuie auprès de ce compagnon qu'il juge inadapté à ce monde !

 Chien/Serpent : Dans ce couple de philosophes, on pourrait croire que tout devrait aller au mieux. Après tout, puisqu'ils aiment tant les noires profondeurs, qu'ils y vivent ensemble. Mais le Serpent est mondain, et sa vue froide du monde lui a donné l'arme de la ruse. Voilà qui choque profondément le Chien qui ne supporte pas la duperie, même pour de bonnes causes. Il aura du mal à se séparer du mystique et fascinant Serpent.

 Chien/Cheval : Cette rencontre se fera au détriment du Chien. Loyal, profond et réaliste, il a l'humour de rire des cavalcades du Cheval mais restera inquiet, tout en étant stimulé par la joie de vivre de ce compagnon exubérant. Mais si le Cheval est séduit un temps, il ne pourra pas vraiment s'engager et partira, laissant le Chien inconsolable, et plus pessimiste que jamais.

Chien/Chèvre : Au bout de trois lunes à peine, il faudra un pèlerin fort pour leur redonner le goût de vivre tant

ils se seront détruits l'un l'autre. Ici, pas de relation de pouvoir, mais un psychodrame permanent dans un déluge de pessimisme. La Chèvre tentera de faire gambader le Chien qui lui démontrera les périls qu'elle encourt à ne pas se soucier du lendemain.

Chien/Singe : Le Chien admire le Singe qui aime la fidélité tranquille de son compagnon. Ici, pas l'ombre d'une rivalité. Simplement une vue très réaliste et intelligente des choses et un goût commun pour le précieux. Le Chien aura souvent peur pour le Singe, lui, pourra s'agacer du pessimisme du Chien pas assez rebelle à son goût.

Chien/Coq : Le rapport de force sera immédiat. Tous deux moralisateurs, épris de justice, et capables d'une franchise cinglante, ne verront pas leurs qualités et aviveront leurs défauts. Leurs critiques acerbes viendront la plupart du temps du Chien qui ne peut comprendre l'égocentrisme tapageur du Coq qui froisse sa vue humaniste du monde. Vexé, le Coq n'aura de cesse de démontrer son pessimisme timoré au Chien...

Chien/Chien : Leur foyer sera calme, occupé d'enfants heureux, de tranquillité sage et de petites joies sereines. Ce couple conformiste s'adore, s'abreuve de tendresse et de confiance, philosophe dignement sur le monde et ses pièges. La monotonie ne les effraie guère, car ils savent être indépendants et actifs pour de bonnes causes.

Mais leurs pessimismes joints ne leur permet guère de se stimuler dans les épreuves.

Chien/Sanglier : Un couple harmonieux en famille. Tous deux aiment les enfants, la tendresse et la loyauté. Le Sanglier se sentira parfois repoussé par le pessimisme du Chien et ira se ressourcer dans des promenades solitaires. Mais, bien que leurs points de vue sur le monde divergent, ils trouvent l'un dans l'autre matière à réflexion et à discussion. La tendresse avant tout !

Volonté : Le Chien possède une très grande volonté. Il en a besoin pour mener à bien ses tâches et pour ne pas laisser transparaître des émotions qu'il juge trop envahissantes.

Voyage : Le Chien sera plutôt sédentaire. Mais s'il doit voyager, il le fera avec plaisir, pourvu que l'imprévu n'entre pas dans la course. Son voyage sera méticuleusement organisé, car tout déplacement hors de son univers familier le gêne. Il n'hésitera pas à emporter un bibelot inutile qui lui rappellera son monde habituel.

Yin / Yang : Le yin et le yang représentent respectivement le pôle féminin nocturne, la lune, le froid et l'inconscient d'une part, et d'autre part, le pôle masculin, diurne, le soleil, la chaleur et le conscient. Leurs rapports sont indissociables et ils sont unis en harmonisant éternellement leurs contradictions.

Ainsi, si le yang domine en vous, vous serez extraverti, très sociable et spontané. Si le yin domine, il vous rendra plus intérieur, lunatique et intuitif.

Le Chien se classe avec les signes yin comme le Rat, le Buffle, le Lièvre, le Sanglier, la Chèvre et le Singe (seul animal à être à la fois yin et yang). Associé cependant à une heure yang, il est aussi bénéfique pour les deux sexes. Les autres signes sont yang. Regardez à quel pôle appartient votre compagnon de voyage. Cela vous éclairera sur les ombres et les lumières de votre personnalité.

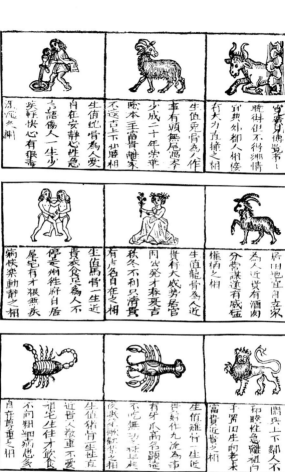

牛值此骨為人性
曉得仙不得娜情
宜典外郎人相惱
行大力直撞之相

生值兔骨為人作
事有頭無尾無人作
少成二十年榮華
晚年手尊離末
不遠古上下相睦相

生值此骨為人愛
肖在安靜心性急
言語傷人一生少
疾輕快心有很毒
凶危多拂

牛值此骨近
居田地宜月立家
為人近貴有酒肉
分營課連有威猛
權柄之相

生值龍骨為人近
賢有大成勢居官
閃吝發才春聚吉
秋冬不利只清貧
有肯各自在之相

生值馬骨一生近
貴衣食忌為人不
停妾州衛所自居
屋宅有根無疾
菊快樂動靜之相

生值羊骨一生清
開兴上不賴人不
和睦性急難祖口
子罕口生向老末
富貴近貴之相

生值雞骨一生近
貴病作九流為事
有牙爪尚名顯造
不吃無功之事
俊状之相

生值猪骨一生直
近貴人欲重不愛
祖宅佳才飲食
不問粗細病怎多
肖亭…重之相

生值猴骨一生清
才德被人晚年為
人輕快脆明性急
好吃果子輕薄伽
多直撞之相

生值犬骨一生近
貴有福祿為人躁
既不吃無功之祿
毛成家不吃無
疾也輕快之相

生值鼠骨為人燥
惱咖哪或計快活
物件衣服常與奴
賀人相爭一身病
患呦…之相

ASTROLOGIE

雙重語的星相學

Dans la tradition populaire et agricole chinoise et au Viêt-Nam, le temps se calcule avec les lunaisons (ce qui n'est pas le cas exact du calendrier officiel des Empereurs de Chine sur lequel se fondent les années astrologiques. Des erreurs ont ainsi été commises dans certains ouvrages de vulgarisation, confondant les lunaisons des paysans chinois avec le calendrier officiel!).

Cette tradition donne à chaque lune chinoise un nom d'animal ; les enfants nés sous ces lunes sont imprégnés du caractère de l'animal lunaire du moment : c'est ce que l'on appelle l'ascendant lunaire. Cet ascendant jouera sur votre activité.

Or, ces lunaisons correspondent assez exactement à la répartition des signes du zodiaque occidental. Regardez donc dans le tableau ci-dessous quel est votre ascendant lunaire. Par exemple, si vous êtes du Verseau, vous êtes né sous la lune chinoise du Tigre qui contrôlera vos activités. Vous saurez donc que vous avez du Tigre yang élément stable bois à ajouter à votre signe et à votre compagnon de voyage.

Si vous êtes né entre les :	Ascendant lunaire	Équivalent occidental
21 janv. - 19 fév.	**Tigre**	**Verseau**
20 fév. - 20 mars	**Lièvre**	**Poissons**
21 mars - 20 avril	**Dragon**	**Bélier**
21 avril - 21 mai	**Serpent**	**Taureau**
22 mai - 21 juin	**Cheval**	**Gémeaux**
22 juin - 22 juil.	**Chèvre**	**Cancer**
23 juil. - 23 août	**Singe**	**Lion**
24 août - 23 sept.	**Coq**	**Vierge**
24 sept. - 23 oct.	**Chien**	**Balance**
24 oct. - 22 nov.	**Sanglier**	**Scorpion**
23 nov. - 21 déc.	**Rat**	**Sagittaire**
22 déc. - 20 janv.	**Buffle**	**Capricorne**

Maintenant, vous comprenez mieux que nos astrologies puissent se compléter, car le lien existe déjà. Ce grand portrait se termine, mettant en rapport votre signe astrologique occidental avec votre animal chinois.

Chien/Bélier : Le Bélier apporte sa fougue guerrière au Chien qui prend ainsi plus d'assurance. Il sera ainsi moins anxieux que les autres natifs. Par contre, Bélier et Chien ont en commun leur goût pour les causes humanitaires, surtout celles perdues d'avance pour les autres. Lorsque le Chien sent le pessimisme l'envahir, le Bélier en lui le secoue et le force à agir sans lui laisser le temps de s'apesantir sur son sort. Courageux et loyal, si le Chien apporte une certaine profondeur d'esprit au Bélier, ce dernier aura la fâcheuse tendance de le pousser à de folles témérités. Là, le Chien perd pour un temps toute prudence, et se retrouve terrifié lorsqu'il se rend compte qu'il s'est jeté dans la gueule du loup.

Chien/Taureau : Le Taureau tente d'apporter au Chien sa joie de vivre le quotidien de la vie, et lui renforce sa sensualité. Le Chien se sentira des élans d'extraversions qui le rendront plus expansif qu'à l'accoutumée. Ce natif ne peut pas vivre sans amour et sa grande peur sera d'être abandonné. Il tient à ce qu'il connaît, ce qui a fait ses preuves, et ne souffrira pas que l'on touche à son arbre généalogique. Parfois emporté, il est cependant moins caustique que ses congénères et se révèle d'agréable compagnie. Il sait la valeur des biens matériels et détestera les voyages s'ils n'offrent pas une bonne affaire à conclure à la clef.

Chien/Gémeaux : Le Gémeaux rend le Chien perplexe. Ce signe mercurien force le Chien à réfléchir encore plus qu'à l'accoutumée, mais brouille les cartes dès qu'il s'agit de mettre de l'ordre dans ses pensées. Ce natif aura beaucoup de mal à s'adapter au réel, passant de la plus totale euphorie à de grandes phases de profond découragement. Curieux, il aimerait pouvoir être partout à la fois et entamer mille choses, toutes plus altruistes les unes que les autres sans les achever. Le Chien n'est pas mondain, le Gémeaux, si ! Ce mélange détonnant fait que le natif déborde de joie à chaque rencontre, manque de discernement, et choisit mal son entourage. Il devrait essayer de se fixer tôt un but.

Chien/Cancer : Que d'émotivité. Ce natif a un cœur d'or, et, par naïveté, par désir de trouver du bon en chaque être humain, va souvent de désillusions en désillusions et de chagrins d'amour en chagrins d'amour ! Il voudrait tant donner de lui-même, mais n'ose pas se mettre en avant, non parce qu'il doute de ses talents (c'est un créateur né), mais parce qu'il a peur de se confronter à un monde dur. Très attaché à sa famille, il peut, par fidélité, en devenir l'esclave, se mettant sans cesse en position d'infériorité. Détestant la violence, il tentera de résoudre les conflits par la raison ou par la fuite. Mais si on l'y oblige, même à contre-cœur, il prouvera qu'il sait mordre, surtout si une bonne cause est en jeu...

Chien/Lion : Le Lion donne au Chien ses lettres de noblesse. Ce natif saura prendre la parole, décider, diriger, mais à condition qu'il s'agisse d'un but à atteindre altruiste. Il ne supporte pas le mensonge et part en croisade avec une meute derrière son drapeau. Sa voix vibrante donne aux autres l'envie de le suivre, pourtant, intérieurement, ce natif doute de l'intérêt des causes qu'il soutient. Il connaît bien le langage des puissants, et sera plus au fait que tous les autres de leur capacité à masquer la vérité. Parfois un peu verbeux, il déclame de longs discours, et se disperse dans mille directions à la fois au moment d'agir. Il peut réussir brillamment s'il cesse de croire que les paroles soulèvent seules les montagnes...

Chien/Vierge : La vierge méticuleuse et un peu timide ne vient pas stimuler le Chien. Elle le renforce au contraire dans sa conviction que ce monde est décidément difficile à vivre, et qu'il faut s'en préserver par tous les moyens. Lucide, le natif voit trop les failles pour ne pas être un inquiet, un nerveux. Il tient à son bon droit, mais ne l'impose à personne, se contentant d'être en harmonie seul avec ce qui l'entoure, et d'une probité à toutes épreuves. Il ne renacle jamais devant le travail à accomplir et sera d'une totale fidélité. Il est dommage qu'un manque réel de confiance en lui ne lui donne pas les moyens d'utiliser ses dons de précision et d'observation pour se mettre plus en valeur.

Chien/Balance :

La Balance ne peut vivre seule, hésite longuement avant de se lancer, et est éprise de justice. Ce natif sera très malléable, trop parfois car incapable de trancher. L'injustice le révolte au plus haut point, lui qui ne rêve que d'harmonie. Mais il rêve beaucoup... Élégant, fin, altruiste, il attire l'amitié de tous. Incapable de rancune, le natif pourra tout pardonner à ses amis et se dévouera pour eux jusqu'à la mort. Mais ainsi, comme il manque de discernement dans son désir de tout voir en rose, il se met en butte à être exploité par ceux qui se disent ses plus proches amis ; pacifiste, il préfère donner tout ce qu'il possède pour éviter le moindre conflit. Il est fait pour vivre avec les anges...

Chien/Scorpion :

Le Scorpion apporte sa lucidité, sa combativité et son mordant. Ce Chien là est un redoutable adversaire qui n'épargne personne. Pour atteindre son but, qui sera toujours de dénoncer le mal, il est capable de tout. Craint, respecté, mieux vaut ne pas se faire mordre par lui car il a la rage. Il désire refaire le monde, qu'on le suive ou non car c'est un farouche individualiste, même s'il sait soulever les foules. Son humour noir teinté d'un profond cynisme dénonce les apparences. Sous son œil scrutateur, les vernis craquent, les façades s'écroulent ! Il peut être méchant si l'on s'attaque à ses idéaux, et sa piètre opinion de la gent humaine en fait une solitaire corrosif !

Chien/Sagittaire : Le Sagittaire apporte sa fougue, ses idéaux chevaleresques et son goût du mouvement. Là, le natif décolle littéralement de la réalité et part combattre dans les hauteurs. Il veut tout changer, pas se contenter d'alléger quelques souffrances aux détours de ses chemins. Il a du mal à accepter les compromis et agit parfois trop vite là où il devrait réfléchir. Ce natif vit un grand conflit intérieur entre l'extraversion optimiste du Sagittaire et l'introversion pessimiste du Chien. Inquiet, le Chien ne peut cependant stopper l'élan que lui confère le Sagittaire, et, même s'il a l'air sûr de lui, la peur le dévore. Pourtant, il a l'instinct de se préserver en cas de crise profonde.

Chien/Capricorne : Le Capricorne aime le calme, l'ordre établi, et craint les débordements passionnels. Il va donner au natif une apparence froide et distante, qui ne se réchauffe que pour une cause extérieure à lui-même.

Là, il donnera tout, sa fidélité, son temps, sa loyauté. S'il manque d'humour, il sait veiller sur ceux qu'il aime sans jamais faillir.

C'est un ami travailleur, honnête et droit sur lequel on peut compter. Mais il est inutile de l'ennuyer avec des problèmes mondains : l'argent et le confort matériel ne l'intéressent point. Il vit souvent en ermite, ses jugements sont sûrs, et il sait reconnaître le mal sous les plus belles apparences.

Là, il peut devenir agressif et très méchant !

Chien/Verseau : Une excellente combinaison. Si le Verseau est altruiste, il oublie souvent la réalité et les besoins de ses proches. Le Chien, par contre, garde les pattes sur terre et protège les siens. Le Verseau partira en croisade en s'aidant de son ingéniosité naturelle qui peut faire parfois défaut au Chien plus modeste qui se trouve ainsi galvanisé. Son besoin de culture rend le Verseau intellectuel et parfois distant, et le Chien, tout en profitant de ce savoir, verra immédiatement les applications concrètes qu'elles peuvent avoir.

Ce natif peut réaliser de très grandes choses, si sa lucidité ne le rend pas trop dégoûté de la vie quotidienne qu'il déteste.

Chien/Poissons : Le Poissons évolue dans l'imaginaire, la sensibilité à fleur de peau, la créativité, mais il a beaucoup de difficultés à passer à l'action. Le Chien né sous ce signe harmonisera les tendances éparpillées du Poissons en le rendant productif. Il peut, si on l'encourage dès l'enfance, devenir un grand créateur, un visionnaire, même si ses œuvres ne sont pas d'un optimisme hilarant ! Tendre, dévoué, ce natif a un besoin d'amour immodéré qu'il lui faut combler sous peine de sombrer dans la dépression la plus noire. Il devra se méfier de sa tendance à la paresse où la peur d'agir lui fait mettre sa tête sous l'oreiller pour rêver en paix. Il faut se dépêcher de le secouer car il aime sa passivité et déteste l'action.

Heure d'été de France
de 1916 à 1940

SOUSTRAIRE

Du 14 juin au 1er octobre 1916 :	1 h
Du 24 mars au 7 octobre 1917 :	1 h
Du 9 mars au 6 octobre 1918 :	1 h
Du 1er mars au 5 octobre 1919 :	1 h
Du 14 février au 25 octobre 1920 :	1 h
Du 14 mars au 25 octobre 1921 :	1 h
Du 25 mars au 7 octobre 1922 :	1 h
Du 26 mai au 6 octobre 1923 :	1 h
Du 29 mai au 4 octobre 1924 :	1 h
Du 4 avril au 3 octobre 1925 :	1 h
Du 17 avril au 2 octobre 1926 :	1 h
Du 9 avril au 1er octobre 1927 :	1 h
Du 14 avril au 6 octobre 1928 :	1 h
Du 20 avril au 5 octobre 1929 :	1 h
Du 12 avril au 4 octobre 1930 :	1 h
Du 18 avril au 3 octobre 1931 :	1 h
Du 16 avril au 1er octobre 1932 :	1 h
Du 26 mars au 8 octobre 1933 :	1 h
Du 7 avril au 6 octobre 1934 :	1 h
Du 30 mars au 5 octobre 1935 :	1 h
Du 18 avril au 3 octobre 1936 :	1 h
Du 3 avril au 2 octobre 1937 :	1 h
Du 26 mars au 1er octobre 1938 :	1 h
Du 15 avril au 18 novembre 1939 :	1 h
Du 24 février au 15 juin 1940 :	1 h

de 1940 à 1945 zone libre

SOUSTRAIRE

Du 25 février 1940 au 4 mai 1941, 23 h :	1 h
Du 4 mai 1941, 23 h au 6 octobre 1941, 0 h :	2 h

Du 6 octobre 1941, 0 h au 8 mars 1942, 24 h :   1 h
Du 9 mars 1942, 0 h au 2 novembre 1942, 3 h :   2 h
Du 2 novembre 1942, 3 h au 29 mars 1943, 3 h :   1 h
Du 29 mars 1943, 3 h au 4 octobre 1943, 3 h :   2 h
Du 4 octobre 1943, 3 h au 3 avril 1944, 2 h :   1 h
Du 3 avril 1944, 2 h au 8 octobre 1944, 0 h :   2 h
Du 8 octobre 1944, 0 h au 2 avril 1945, 2 h :   1 h
Du 2 avril 1945, 2 h au 16 septembre 1945, 3 h :   1 h

zone occupée

SOUSTRAIRE

A Paris : du 15 juin 1940, à 11 h   2 h
A Bordeaux : du 1er juillet 1940, 23 h
         au 2 novembre 1942, 3 h   2 h
A partir du 2 novembre 1942 : comme en zone libre.

de 1945 à 1976

Retrancher 1 heure quelle que soit la date de naissance.

Depuis 1976

Retrancher 1 heure. Sauf pour les périodes suivantes, où vous retranchez 2 heures.

1976 :	du 28 mars, 1 h	au 26 septembre, 1 h
1977 :	du 3 avril, 2 h	au 25 septembre, 3 h
1978 :	du 2 avril, 2 h	au 1er octobre, 2 h
1979 :	du 1er avril, 2 h	au 30 septembre, 3 h
1980 :	du 6 avril, 2 h	au 28 septembre, 3 h
1981 :	du 29 mars, 2 h	au 27 septembre, 3 h
1982 :	du 28 mars, 2 h	au 26 septembre, 3 h
1983 :	du 27 mars, 2 h	au 25 septembre, 3 h
1984 :	du 25 mars, 2 h	au 23 septembre, 3 h
1985 :	du 31 mars, 2 h	au 29 septembre, 3 h
1986 :	du 30 mars, 2 h	au 28 septembre, 3 h

Index

Introduction . . . . p. 9
- Les 12 animaux . . . . p. 10
- Le compagnon de voyage . . . . p. 10
- Les éléments . . . . p. 14
- Tableau des heures d'été . . . . p. 89

Affaires . . . . p. 19
Ambition . . . . p. 20
Amitié . . . . p. 20
Amour . . . . p. 22
Argent . . . . p. 24
Aventure . . . . p. 24
Bonheur . . . . p. 26
Charme . . . . p. 26
Compagnon de voyage . . . . p. 26
Conflit . . . . p. 32
Conseil . . . . p. 32
Conte . . . . p. 34
Courage . . . . p. 36
Cuisine . . . . p. 36
Défauts . . . . p. 38
Éléments-Hsing . . . . p. 38
Enfance . . . . p. 42
Ennemis . . . . p. 44
Famille . . . . p. 44
Fantaisie . . . . p. 48
Fidélité . . . . p. 48
Force . . . . p. 48
Gourmandise . . . . p. 48
Honneur . . . . p. 50
Hospitalité . . . . p. 50
Idéal . . . . p. 50
Imagination . . . . p. 52
Intelligence . . . . p. 52
Jalousie . . . . p. 52
Légende . . . . p. 54
Mariage . . . . p. 54
Orgueil . . . . p. 54
Paresse . . . . p. 56
Parfum . . . . p. 56

Passion . . . . p. 56
Profession . . . . p. 56
Prudence . . . . p. 58
Qualités . . . . p. 58
Raffinement . . . . p. 58
Rancune . . . . p. 58
Réputation . . . . p. 60
Responsabilité . . . . p. 60
Ruse . . . . p. 60
Sacrifice . . . . p. 62
Santé . . . . p. 62
Secrets . . . . p. 62
Séduction . . . . p. 62
Sexualité . . . . p. 64
Timidité . . . . p. 64
Tradition . . . . p. 66
Union entre les signes . . . . p. 66
Volonté . . . . p. 73
Voyage . . . . p. 73
Yin / Yang . . . . p. 76
Orient-Occident la double astrologie . . . . p. 79
Tableau des heures d'été . . . . p. 89

Achevé d'imprimer le 2 mars 1989
sur les presses de
Printers à Trento (Italie).
Relié par L.E.G.O. à Vicenza (Italie).